La Petite Patrie

Scénario
NORMAND GRÉGOIRE

Dessin & couleur
JULIE ROCHELEAU

D'après
l'œuvre
de
**CLAUDE
JASMIN**

La petite patrie
© Julie Rocheleau, Normand Grégoire et Claude Jasmin. Tous droits réservés. 2015
© Les Éditions de la Pastèque

Les Éditions de la Pastèque
C.P. 55062 CSP Fairmount
Montréal (Québec) H2T 3E2
Téléphone : 514 502-0836
www.lapasteque.com

Maquette de la couverture : Julie Rocheleau
Révision : Céline Vangheluwe et Sophie Chisogne
Infographie : Laurence Biron

Dépôt légal : 4e trimestre 2015
Bibliothèque et Archives nationales du Québec
Bibliothèque et Archives Canada
ISBN 978-2-923841-76-2

Nous reconnaissons l'appui du gouvernement du Canada.
We acknowledge the support of the Government of Canada.

 Conseil des Arts **Canada Council**
du Canada **for the Arts**

Nous remercions le Conseil des arts du Canada de son soutien. L'an dernier, le Conseil a investi
153 millions de dollars pour mettre de l'art dans la vie des Canadiennes et des Canadiens de tout le pays.

We acknowledge the support of the Canada Council for the Arts, which last year invested $153 million
to bring the arts to Canadians throughout the country.

Nous reconnaissons l'aide financière du gouvernement du Canada par l'entremise du Fonds du livre
du Canada (FLC) pour nos activités d'édition.

Nous reconnaissons l'aide financière du gouvernement du Québec par l'entremise de la Société
de développement des entreprises culturelles (SODEC) pour nos activités d'édition.

Gouvernement du Québec – Programme de crédit d'impôt pour l'édition de livres – Gestion SODEC

1re édition
Imprimé au Canada

Catalogage avant publication de Bibliothèque et
Archives nationales du Québec et Bibliothèque et Archives Canada

Grégoire, Normand, 1959-
La petite patrie : d'après l'œuvre de Claude Jasmin
Bandes dessinées.
ISBN 978-2-923841-76-2

I. Rocheleau, Julie. II. Jasmin, Claude, 1930-   . Petite patrie. III. Titre.
PN6734.P472G73 2015   741.5'971   C2015-941875-5

1

"...On va l'avoir la conscription.

Vous verrez, monsieur Jasmin...

Non monsieur Cloutier, notre vicaire a affirmé que si nous savons prier Dieu, il n'y a pas de danger que ça arrive.

Il a même ajouté que le pape n'a jamais été si bien traité que depuis qu'il y a un bon dictateur en Italie.

Dans toué cas, l'armée allemande ne s'arrêtera pas à la Pologne, c'est sûr.

Les Polonais, c'est des bons catholiques!

La Pologne, c'est la province de Québec de l'Europe!

Vous savez ça, hein?

Pauvre Pologne...

Est-ce que tu devras aller à la guerre, papa?

Pis, le Chinois a-t-y essayé de te faire parler?

Ouais?

Il t'a-t-y fait des affaires pas catholiques?

Non.

Il m'a même donné un clennedak!

HISSS...

Je parie que t'as pas le courage de le manger!

snif?

PAS DE PATINS À ROULETTES!

C'EST TROP DANGEREUX!

TU VAS T'ESTROPIER AVEC ÇA!

S'il vous plaît Papa...

TU PEUX TOMBER ET TE FENDRE LE CRÂNE AVEC ÇA!

TU Y PENSES PAS!

Tiens, j'ai mieux pour toi: je t'ai inscrit pour que tu apprennes à devenir servant de messe.

Tu vas apprendre le latin!

Tu vas aimer ça!

...Et puis, tu vas te faire cinq sous par messe.

5¢?

C'est pas à dédaigner, ça!

Tu veux toujours faire un prêtre?

Hein?

24

CLAUDE!
Qu'est-ce
que tu fais?

ARRIVES-TU?

Mmfg...

Tu sais pas quoi,
y'a un nouveau
gars dans la rue!

On l'a baptisé
"Dédé le millionnaire"...

...parce qu'il
a des jouets
GÉANTS!

Et le plus beau
c'est que sa mère
nous permet de
JOUER AVEC!

EN AVANT
LES GARS!

CHEZ DÉDÉ LE
MILLIONNAIRE!

*souffre-douleur

Vas-y Dédé!

Dédé, tu vas voir, c'est une maison de la peur, comme au parc Belmont.

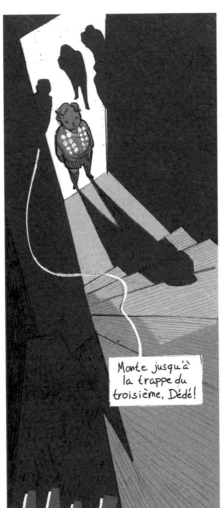

Monte jusqu'à la trappe du troisième, Dédé!

VLAM

HAAAA! BANG BANG BANG WOAA BANG

WOOAAAAAA BANG BANG WOOOOHA

De la dynamite ¡¡¡

¡¡¡ pour faire exploser le prisonnier !

BIG BANG
FIRECRACKERS

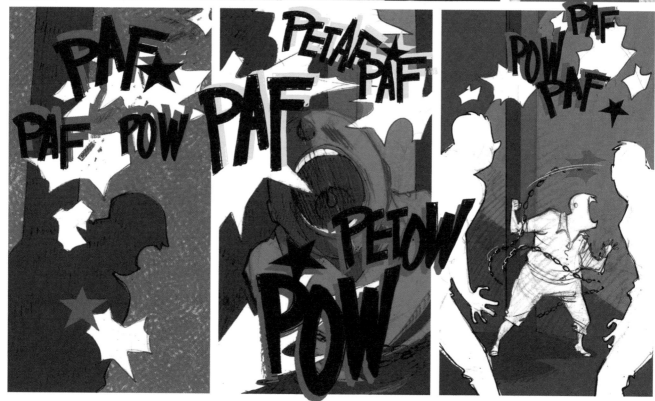

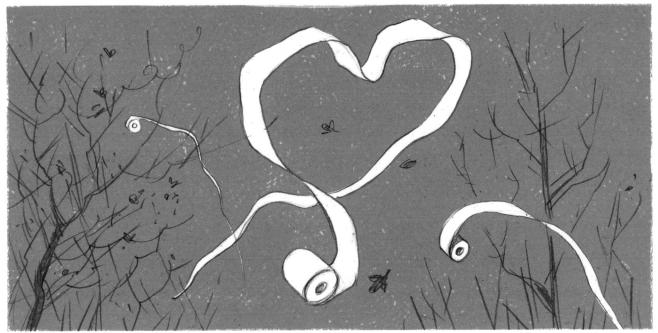

Vous êtes ben
restés tard dans
vos quêtages!

Maintenant, mes
trésors, allez vous
coucher, il y a de
l'école demain.

Oubliez pas
de faire votre
prière.

Bonsoir madame Morneau.

Bonsoir docteur Mousseau. Entrez.

Comment vas-tu aujourd'hui, Rita ?

Me semble qu'elle prend un peu de mieux.

Chut!

Vous pensez pas, docteur ?

Je ne voudrais pas vous donner de faux espoirs...

T'AS MENTI MOINEAU. LE BUT EST BON!

NON MONSIEUR!

TIT-CLAUDE A FRAPPÉ LE POTEAU!

C'EST DEUX À ZÉRO!

Ne-non, c'est toujours un à zéro!

Si mes parents étaient riches, j'aurais le train électrique!

Mais maman dit toujours...

"On n'est pas des gens en moyens, ne l'oubliez pas!"

Moi, ça serait la pelle mécanique!

Moi, les soldats!

HÉ! Les gars!

Ça fait longtemps qu'on n'a pas joué avec les jouets de Dédé!

Bonjour Madame!

Est-ce qu'on peut jouer avec André?

NON!

RETOURNEZ CHEZ VOUS!

Espèce de petits voyous!

À partir de maintenant, tous les jouets vont rester dans leurs boîtes.

Je l'avais dit que c'était un cacaille!

T'es-tu fait mal?

Non, j'suis correcte.

3

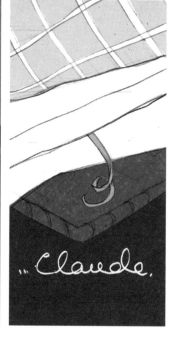

4

En réaction à la mobilisation des hommes célibataires qui fait craindre un prélude à la conscription, les Canadiens français se précipitent vers ce qu'il est convenu d'appeler une véritable course au mariage.

Partout de par le Québec, les paroisses organisent des mariages en groupes pour aider le plus de jeunes hommes possible à éviter l'enrôlement obligatoire.

On a béni l'union de plusieurs centaines de couples lors de cette cérémonie qui a eu lieu au parc Jarry de Montréal.

Pardon, monsieur Turcotte...

Est-ce que les parents de Micheline ont eu des voleurs?

MIIAAOU!

T'es pas au courant, Claude?

Ils ont déménagé ce matin.

MIOU!

Savez-vous où ils sont allés?

Non, mais j'aimerais bien le savoir...

...parce qu'ils m'ont pas payé le loyer d'avril!

Est-ce que
notre vie
va changer?

T'ES MORT !
CLAUDE
MICHELINE
Normand Grégoire
J. Rocheleau 2015

À propos des auteurs

Issue du monde du dessin animé, Julie Rocheleau se consacre actuellement à l'illustration et à la bande dessinée. Sa première parution, *La Fille invisible* (une collaboration avec la scénariste Émilie Villeneuve), voit le jour en 2011 chez Glénat Québec et remporte plusieurs prix. Elle est suivie de la trilogie *La Colère de Fantômas*, réalisée sur un scénario d'Olivier Broquet entre 2012 et 2015 et publiée chez Dargaud. Les trois tomes ont été récompensés en Europe et au Canada. Julie Rocheleau vit dans le quartier Rosemont-La-Petite-Patrie, à Montréal. *La petite patrie* est son premier livre à paraître à La Pastèque.

Normand Grégoire est scénariste, réalisateur et metteur en scène. Il a commencé sa carrière comme intervalliste sur le long métrage *Heavy Metal* (*Métal Hurlant*). Il a ensuite scénarisé et réalisé des dessins animés industriels et plusieurs courts métrages, dont quelques-uns ont été primés aux États-Unis. Il a aussi écrit des scénarios pour le cinéma et la télévision et réalisé des séries pour Radio-Canada, Télé-Québec et TVA.

La petite patrie de Julie Rocheleau et Normand Grégoire a été achevé d'imprimer en octobre 2015 par l'imprimerie Friesens au Manitoba, pour le compte de La Pastèque, éditeur de livres depuis 1998.